Tony Ross

# Je veux mon p'tipot !

GALLIMARD JEUNESSE

« Ah ! ces sales couches ! »
disait la princesse.

folio benjamin

TRADUCTION DE PASCAL OLIVIER

ISBN : 978-2-07-054794-4
Titre original : *I want my Potty*
Publié par Andersen Press Ltd., Londres


Numéro d'édition: 150554
Loi n° 46-956 du 16 juillet 1949
sur les publications destinées à la jeunesse
1er dépôt légal : octobre 2001
Dépôt légal : février 2007
Imprimé en Italie par Editoriale Lloyd
Réalisation Octavo

« Une seule solution :
il faut aller sur ton p'tipot »,
répondait la reine.

Au début, la princesse trouvait
que c'était abominable.

« Il faut aller sur ton p'tipot ! »
répétait la reine.

Et la princesse dut s'y habituer.

Parfois elle se ruait sur son p'tipot
tellement elle en avait besoin.

Parfois la princesse
jouait des tours à son p'tipot.

Parfois le p'tipot
jouait des tours à la princesse.

Le p'tipot, bientôt,
ce fut très rigolo.

Et la princesse l'adora.

Tous disaient que la princesse
était très intelligente
et serait une grande reine.

« Il faut aller sur ton p'tipot »,
répondait la princesse.

Un jour, la princesse jouait
sur le toit de son château quand…

… elle se mit à hurler :
« Je veux mon p'tipot ! »

« Elle veut son p'tipot ! »
hurla la gouvernante.

« Elle veut son p'tipot ! »
hurla le roi.

« Elle veut son p’tipot ! »
hurla le cuisinier.

« Elle veut son p'tipot ! »
hurla le jardinier.

« Elle veut son p'tipot ! »
hurla le général.

« Je sais où il est, son p'tipot ! »
hurla l'amiral.

À toute allure on apporta
le p'tipot à la princesse...

… juste…

… un tout p'tipot trop tard.

Fin

## L'AUTEUR - ILLUSTRATEUR

**Tony Ross** est né à Londres en 1938. Après des études de dessin, il travaille dans la publicité puis devient professeur à l'école des Beaux-Arts de Manchester, où il révèle de nouveaux talents dont Susan Varley. En 1973, il publie ses premiers livres pour enfants. Sous des allures de rêveur fantaisiste et volontiers farceur, Tony Ross est un travailleur acharné : on lui doit des centaines d'albums, de couvertures, d'illustrations de fictions (souvenons-nous de la série des «William» de Richmal Crompton...) L'abondance de son œuvre n'a d'égale que sa variété : capable de mettre son talent au service des textes des plus grands auteurs (Roald Dahl, Oscar Wilde, Paula Danziger), il est aussi le créateur d'albums inoubliables. Amateur de voile, il vit à la campagne dans une grande maison avec sa femme Zoé et leur fille Kate. Une grande exposition, intitulée «Des yeux d'enfant», lui a été consacrée à Saint-Herblain au printemps 2001.

**folio benjamin**

Si tu as aimé cette histoire
de Tony Ross, découvre aussi :



Et dans la même collection :

## folio benjamin